Gwennan Evans

Lluniau gan

Bethan Mai

Cyfres

HALIBALŴ

Cyhoeddwyd gan CAA Cymru, Prifysgol Aberystwyth, Plas Gogerddan, Aberystwyth SY23 3EB (www.aber.ac.uk/caa).

Ariennir gan Lywodraeth Cymru fel rhan o'i rhaglen gomisiynu adnoddau addysgu a dysgu Cymraeg a dwyieithog.

ISBN: 978-1-84521-708-2

Golygwyd gan Fflur Aneira Davies a Marian Beech Hughes
Dyluniwyd gan Richard Huw Pritchard
Argraffwyd gan Gomer

Cydnabyddiaethau

Diolch i Dr Carol James, Heulwen Hydref Jones, Marc Jones a Siw Jones am eu harweiniad gwerthfawr. Diolch hefyd i Lisa Morris (Ysgol Glantwymyn) ac Anwen Jervis (Ysgol Llanbrynmair) am dreialu'r deunydd.

Ceir gweithgareddau i gyd-fynd â chwe nofel Cyfres Halibalŵ ar wefan Hwb (addas i CA2; awdur: Siw Jones).

1
Cuddio mewn cragen

Roedd Osian Euros yn cuddio yn y cysgod, o dan y trampolîn. Aroglodd ddant y llew a cheisio dychmygu sut flas oedd arno. Dechreuodd gropian yn araf, araf, ac yna cyrliodd yn bêl.

Bachgen oedd Osian. Doedd dim rhaid iddo gropian. Gallai godi, gallai gerdded, gallai redeg, neidio neu ddawnsio, ond roedd yn well ganddo esgus ei fod yn grwban.

Ymchwil oedd hyn ar gyfer ei waith ysgol. Thema Blwyddyn Pump am y tymor oedd 'Anifeiliaid', ac roedd yn

rhaid i bawb ddewis un anifail i wneud project amdano.

Roedd y rhan fwyaf o blant y dosbarth wedi dewis ysgrifennu am lewod, mwncïod neu eirth. Dewisodd Osian grwbanod, gan ei fod yn meddwl yn aml y byddai'n braf cael cragen gref i'w amddiffyn rhag y byd.

Safai mam Osian uwchben y sinc yn golchi llestri swper tra oedd tad Osian yn eu sychu a'u cadw. Roedd y ddau'n casáu gweld llestri budron yn y gegin a bydden nhw'n clirio pob llestr yn syth, cyn i Osian gael amser i lyncu ei gegaid olaf, bron. Gwisgai'r ddau ffedogau blodeuog dros eu dillad gwaith a oedd, fel popeth yn y tŷ, yn matsio. Edrychai'r ddau'n bryderus ar eu hunig fab drwy'r ffenest.

"Pam nad yw Osian yn chwarae'n normal, fel plant eraill?" holodd Euros, tad Osian, wrth sychu dysgl salad yn drwyadl. "Wnes i ddim treulio fy niwrnod bant yn adeiladu'r trampolîn trafferthus yna er mwyn i Osian ei anwybyddu fe."

"Bydd e'n siŵr o ddala annwyd, os nad ffliw, mas yn cropian ar lawr fel 'na, ac mae e'n un digon gwanllyd fel mae hi!" ychwanegodd ei fam cyn cnocio ar y ffenest â'i maneg rwber felen. Ond esgus nad oedd wedi ei chlywed wnaeth Osian. Roedd hi wastad yn ffysian am rywbeth neu'i gilydd.

Cnociodd ei fam ar y ffenest eilwaith. O, am fod yn grwban, meddyliodd Osian! Pe bai ganddo guddliw, byddai'n llawer haws cuddio rhag ffws ei rieni. Gallai gysgu yn ystod misoedd oer y gaeaf, a phe bai'n byw mewn parc anifeiliaid, câi lonydd rhag plant swnllyd a fyddai eisiau gweld y llewod neu'r mwncïod neu'r eirth. Plant tawel, fel fe, oedd yn hoffi crwbanod.

2
Traed mwdlyd

Pan ddaeth Osian adref o'r ysgol y diwrnod wedyn, gallai weld yn syth bod rhywbeth o'i le. Roedd Mam a Dad adre'n barod a'u hesgidiau gwaith yn daclus wrth y drws. Ar y grisiau, roedd ôl traed budron ar y carped golau ac arogl brechdanau wy lond y lle.

Yr holl ffordd adref, bu Osian yn edrych ymlaen at ddangos y seren aur a gafodd am ei waith cartref diweddaraf i'w rieni, ond roedd rhywbeth am y tawelwch yn y tŷ yn dweud wrtho nad oedd hynny'n bwysig rhagor.

Aeth ati i hongian ei got, cyn sylweddoli bod un ar ei fachyn e'n barod. Cot lwyd, hen, a fyddai'n rhy fawr iddo fe ond yn rhy fach i'w dad. Plygodd ei got ei hunan yn daclus dros ei fraich, tynnu ei esgidiau a mentro i'r ystafell fyw. Yno, roedd Mam yn sipian paned o de melys yn dawel. Roedd braich Dad am ei hysgwydd ac roedd golwg ddifrifol ar ei wyneb.

"Mae gennyn ni chydig o newyddion i ti," meddai Dad.

Eisteddodd Osian ar ymyl y soffa yn ofalus gan ddechrau ofni'r gwaethaf. Bu'n disgwyl y foment ofnadwy hon ers blynyddoedd a dyma hi wedi cyrraedd.

"Dwi'n mynd i gael brawd neu chwaer fach, on'd ydw i …" mentrodd.

"Nag wyt. Wel, ddim yn union," meddai Dad.

"Diolch byth am hynny, achos bydden i'n casáu rhannu fy stafell gyda rhyw fabi swnllyd, sticlyd, drewllyd!" meddai Osian.

"Mae dy Anti Catrin wedi gorfod mynd i'r ysbyty am driniaeth ac … wel, mae dy gefnder, Ned, wedi dod i aros gyda ni," esboniodd Dad.

Rhoddodd Osian ochenaid o ryddhad. Beth allai fod mor ofnadwy am hynny? Roedd Ned tua'r un oedran ag e, a byddai'n braf ei weld eto achos doedden nhw ddim yn gweld ei gilydd yn aml iawn. Roedd Ned yn byw mor bell, ar y fferm lle magwyd ei fam, rywle y tu hwnt i Gaerfyrddin.

"Dy'n ni ddim yn gwbod eto am faint fydd e gyda ni, ond mae'n bwysig iawn i ti fod yn neis wrtho fe," rhybuddiodd Mam. "Mae hi'n mynd i fod yn amser caled i Ned, druan, a bydd angen pob cefnogaeth arno fe."

Nodiodd Osian i ddangos ei fod wedi deall. Os oedd un peth y gallai ei wneud yn dda, bod yn neis oedd hwnnw.

"Bydda i wedi rhoi'r gwely gwersylla yn dy stafell di erbyn heno," meddai Dad.

"Rho'r tegell mlaen, wnei di, Euros?" meddai Mam. "Dwedodd Ned ei fod e'n arfer cael cacen a brechdan bob amser te.

Mae'n rhaid bod y creadur bach bron â llwgu."

"Oes 'na frechdanau wy?" holodd Osian yn obeithiol, gan mai dyna oedd yn dal i lenwi ei ffroenau.

"Nag oes, sorri, bach. Ond gall Dadi wneud rhai os wyt ti'n moyn."

"Ac ychwanegu mwy at y drewdod? Dwi'n credu y bydde'n iachach i bawb os bydde Ned yn cael brechdan ham."

"Hales i fe mas i'r ardd i gael awyr iach," meddai Mam.

"I *ni* gael awyr iach," cywirodd Dad.

3
Methu peidio neidio

Aeth y tri drwodd i'r gegin a sylwi ar rywbeth drwy'r ffenest. Dyna lle roedd Ned yn bownsio'n beryglus o frwd ar drampolîn newydd Osian. Rhwng y ffaith ei fod mor fawr a'i fod yn bownsio mor uchel, byddai'r cymdogion wedi gallu gweld ei ben yn bownsio uwchben eu ffensys. Doedd Ned yn ddim byd tebyg i'r hyn oedd yng nghof Osian. Roedd wedi prifio, yn fachgen mawr, bochgoch; ei grys T yn fach ac yn flêr, ei drowsus yn disgyn, ei freichiau yn yr awyr a'i fola yn y golwg i gyd.

"W-hw!" gwaeddodd Ned nerth ei ben wrth neidio'n uwch ac yn uwch.

Gwnaeth mam Osian wyneb pryderus wrth feddwl am y cymdogion oedrannus oedd yn gwerthfawrogi tawelwch tangnefeddus eu stryd.

"Mae e i'w weld yn setlo yn eitha da," mentrodd Osian, yn methu tynnu ei lygaid oddi arno. Y peth mwyaf anhygoel amdano oedd ei wallt trwchus, melyn a'r cyrn anystywallt o wallt oedd yn saethu allan o'i ben i gyfeiriadau hollol wahanol.

"O'r diwedd, mae'r trampolîn yn cael ei ddefnyddio!" meddai tad Osian yn falch, gan ryfeddu o'i weld yn bownsio oddi ar ei draed a'i ben-ôl am yn ail.

"Gobeithio na chaiff e ddolur. Dwi wedi bod yn yr ysbyty unwaith yn ormod yn barod heddi!" meddai Mam.

"Mae'r crwt yn iawn. Fydd e'n cael oriau o sbort ar y trampolîn 'na, gei di weld!" atebodd Dad.

Yr eiliad nesaf, penderfynodd Ned drio rhywbeth gwahanol a bownsio oddi ar ei ben-gliniau.

"W-hwwwwwwww … CRATSH!"

Saethodd pen-gliniau Ned drwy ddefnydd y trampolîn a'i rwygo o un pen i'r llall. Llamodd y gath drws nesaf, oedd wedi bod yn gwylio rhyfeddod y sioe o ddiogelwch ei gardd ei hun, mewn dychryn. Roedd Ned wedi diflannu o dan wyneb y trampolîn, fel hwyaden yn plymio o dan wyneb llyn.

Arhosodd Osian a'i rieni yn gegrwth yn y gegin am beth deimlai fel oes, cyn i ben Ned godi uwchlaw'r defnydd rhwygedig yn araf, a datgelu ei das wair o wallt nad oedd yn edrych yn ddim gwaeth. Yna, daeth ei lygaid direidus i'r golwg, ac yna'i geg lydan yn gwenu fel giât.

Rhedodd y tri i'r ardd i'w helpu mas o'i dwll, yn llythrennol. Oni bai am y pridd ar ei ddwylo a'i ben-gliniau, allech

chi ddim dweud bod unrhyw beth wedi digwydd.

"Wel, bois bach, 'na beth yw twll!" ebychodd Ned wrth ryfeddu at anferthedd y rhwyg yr oedd wedi ei greu.

Teimlodd Osian ei wefus isaf yn dechrau crynu. Ei drampolîn e oedd hwnna. Ei drampolîn newydd e. Efallai nad oedd e erioed wedi neidio arno, ond ei drampolîn e oedd e, a doedd e ddim hyd yn oed wedi rhoi caniatâd i Ned chwarae arno. Roedd Ned mewn trwbl mawr yn barod.

"O, Ned bach, gest ti ddolur?" holodd Mam yn ofidus gan ei archwilio'n ofalus.

"Paid â becso am y trampolîn. Fi oedd heb ei adeiladu fe'n iawn, siŵr o fod. Dwi'n anobeithiol gyda phethe fel 'na," meddai Dad.

"Tasen ni'n cael pishyn mawr o darpolin i'w roi drosto fe, gallen ni wneud cuddfan i Osian chwarae ynddo fe," cynigiodd Ned.

"Syniad gwych, Ned! Dwi'n siŵr y cewch chi oriau o sbort yn chwarae gyda'ch gilydd," meddai Mam.

Cynigiodd Osian wên fach ymdrechgar i Ned. Wedi'r cyfan, roedd e wedi addo bod yn neis. Cododd Ned ei law o'i flaen fel nad oedd gan Osian lawer o ddewis ond ei tharo mor gyfeillgar ag y gallai.

"Ry'ch chi, fechgyn, yn mynd i gael cymaint o hwyl gyda'ch gilydd!" meddai Mam, oedd yn amlwg wedi anghofio popeth yn barod. Doedd Osian ddim mor barod i faddau.

4
Amser te

Doedd gan Osian mo'r galon i fwyta'i frechdan ham gan y gallai weld y trampolîn fel llongddrylliad trist yn yr ardd trwy gornel ei lygad. Doedd dim taw ar barablu Ned, a llwyddodd i gladdu pedair brechdan ham a gweddillion brechdanau pawb arall wrth siarad a bwyta yr un pryd. Yfodd dair paned o de oedd â thair llwyaid o siwgr yr un ynddyn nhw, a bocsiaid cyfan o fysedd siocled a gâi eu cadw at achlysuron arbennig. Ddywedodd Mam na Dad yr un gair o gerydd, dim hyd yn oed pan fynnodd Ned stwffio bysedd siocled yn ei ffroenau a'i glustiau, a do, fe fwytodd e nhw wedyn ag awch.

Defnyddiodd un o'r bysedd siocled i droi ei de ond, wrth gwrs, suddodd

honno i waelod y gwpan, bron mor chwim ag y suddodd Ned drwy'r trampolîn. Pan awgrymodd Dad fod ganddyn nhw ddigon o lwyau te y gallai eu defnyddio â chroeso, dangosodd Ned ei dric nesaf. Gadawodd y llwy yn ei de poeth am rai eiliadau cyn ei defnyddio i losgi breichiau noeth Osian, Mam a Dad yn eu tro. Byddai'n rhaid iddyn nhw roi stŵr iddo fe nawr, meddyliodd Osian, ond eto, ddywedon nhw ddim gair. Roedden nhw'n rhy brysur yn chwerthin am ben rhyw stori oedd i fod yn ddoniol am oen swci, beth bynnag oedd un o'r rheini.

Allai Osian ddim peidio â syllu ar freichiau cryfion Ned, oedd o dan orchudd trwchus o flew cyrliog, melyn. Roedden nhw'n gwneud i freichiau tenau a moel tad Osian edrych yn eithaf pathetig.

Esgusododd Osian ei hunan o'r bwrdd yn gynnar gan gynnig golchi'r llestri. Cyn i Ned gael cyfle i gynnig sychu, mynnodd Dad mai ei dro e oedd hi. Byddai rhoi'r llestri tsieina hyfryd a gawson nhw'n anrhegion priodas yn nwylo trwsgl Ned yn gofyn am drwbl. Roedd e wedi dod yn agos at chwalu ambell gwpan yn barod wrth adrodd y stori â'i freichiau melin wynt.

Tra oedd Dad yn mynd i nôl y gwely gwersylla o'r atig, aeth Osian, Mam a Ned lan staer i ddadbacio. Cymerodd Osian un olwg olaf ar ei ystafell lân a chymen, gan y gwyddai na fyddai hi'n aros felly am yn hir. Roedd hi'n arogli'n llai ffres yn barod. Roedd gan Ned fag chwaraeon enfawr, hanner gwag, a phenliniodd Mam o'i flaen i'w agor. Gorweddodd Osian ar ei wely a thanio'i *iPad*, ac eisteddodd Ned ar y mat croen dafad ar lawr a dechrau pigo'r croen sych oddi ar wadnau ei draed.

"Dwi'n credu y gwna i roi golchad bach clou i dy ddillad di i gyd, Ned," meddai Mam, wrth daflu'r ychydig ddillad oedd wedi eu stwffio i'r bag i bentwr ger y drws. Sylwodd mam Osian mai dim ond dau drôns oedd gan Ned, gan gymryd bod un pâr amdano.

"Awn ni i brynu gwisg ysgol yn y bore," meddai hi.

"Be'?" holodd Osian mewn syndod.

"Wel, bydd raid i Ned fynd i'r ysgol 'da ti. All e ddim aros yn y tŷ wrtho'i hunan drwy'r dydd!"

Mae cŵn pobl yn cael aros yn y tŷ wrth eu hunain drwy'r dydd, meddyliodd Osian.

"Byddwch chi yn yr un dosbarth a phopeth! Byddi di, Ned, yn mwynhau thema'r tymor – anifeiliaid. Bydd yn dy siwtio di'n iawn, ac mae Miss Hughes yn garedig iawn ..."

"... sy'n fwy nag y gelli di ddweud am y Pennaeth," ychwanegodd Osian.

"Osian!" ceryddodd ei fam. Ei hunig gerydd drwy'r diwrnod hwnnw.

"Beth yw hwn?" holodd Mam, gan

dynnu wy allan o waelodion bag Ned.

"O, fe wnes i bacio wy rhag ofan y byddwn i'n llwglyd," atebodd Ned. "Dwi wastad yn llwglyd."

"Dwi'n gweld! Rho fe'n ddiogel yn rhywle ac fe wna i wy a sowldiwrs i ti yn y bore," meddai Mam. Gwenodd Ned, ond gwgu wnaeth Osian. Doedd ei rieni ddim wedi gwneud wy a sowldiwrs iddo fe ers blynyddoedd.

5
Swper teuluol

Treuliodd Osian weddill y noson yn pwdu yn ei ystafell. Roedd y tywydd wedi troi a gwyliodd y glaw yn gwlychu ei drampolîn, a oedd yn rhacs jibidêrs.

Bu Ned yn gwylio'r teledu'n fodlon ei fyd gyda rhieni Osian. Roedd e wedi tynnu ei esgidiau erbyn hyn a gorffwysai ei draed cawslyd mewn sanau tyllog ar y bwrdd coffi. Bob hyn a hyn gollyngai rech i grombil un o glustogau melfed y soffa.

Am chwech o'r gloch, er gwaetha'r holl frechdanau, cyhoeddodd Ned ei fod yn llwglyd. Unwaith eto. Aeth i edrych yn yr oergell a chael siom wrth ddod o hyd i gyw iâr amrwd, bag o ddail letus, moron, ambell daten a llu o bethau na welsai erioed o'r blaen, fel afocado, hwmws a phupur melyn. Doedden nhw ddim yn edrych yn flasus iawn.

Doedd gan rieni Osian ddim llawer o ddewis ond archebu pitsa, er mai cas beth Mam oedd saim a chas beth Dad oedd diogi. Eu hoff bethau oedd distawrwydd a threfn. Roedd eu cartref wastad wedi bod yn hafan dawel a threfnus, tan nawr.

Am y tro cyntaf yn eu bywydau, eisteddodd y teulu wrth fwrdd y gegin yn bwyta pitsa a sglodion, bara garlleg a cholslo, a'r wledd yn cael ei golchi i lawr gan alwyni o *cola*. Prin y cyffyrddodd Osian mewn unrhyw fwyd. Wnaeth Ned ddim cyffwrdd yn ei gyllell a fforc, a bwytaodd y cyfan â'i fysedd yn frwd, nes bod sos coch o dan ei ewinedd hyd yn oed.

Cafodd Osian drafferth fawr i gysgu'r noson honno. Os nad oedd Ned yn taro rhech, roedd e'n rhochian, ac os nad oedd e'n rhochian, roedd e'n troi a throsi gan achosi i sbrings y gwely gwersylla wichian. Yn y diwedd, bu'n rhaid i Osian fynd i gysgu yn y gwely gwichlyd a gadael i Ned suddo i fatres drwchus ei wely ei hun, lle y câi droi a throsi drwy'r nos heb gadw sŵn.

Fel roedd Osian ar fin disgyn i drwmgwsg braf o'r diwedd, clywodd Ned yn cynnau fflachlamp ac yn mynd ar flaenau ei draed i lawr y grisiau. Doedd bosib ei fod yn llwglyd eto? Clywodd Osian ddrws yr oergell yn agor, yna cypyrddau'r gegin. Doedd y corwynt o fachgen ddim hyd yn oed yn gallu sleifio i'r gegin yn ddistaw!

Gwelodd Osian ei gyfle i gripian i nôl chwistrellydd o'r ystafell ymolchi i gael gwared ar rywfaint o'r drewdod rhechlyd. Ymbalfalodd yn y tywyllwch am ei sliperi a llithro bysedd ei draed i'w blaen, ond wrth roi ei bwysau ar ei sawdl dde, clywodd 'grac' uchel a theimlo'i droed yn wlyb, yn

oer ac yn llysnafeddog, i gyd yr un pryd. Roedd Ned wedi cadw ei wy yn ddiogel yn sliper ei gefnder, a nawr roedd wedi ffrwydro dros draed Osian, a thros y carped.

"Ned!" gwaeddodd Osian yn gandryll, yn llawer uwch nag y gwaeddodd neb erioed o'r blaen.

Rhuthrodd Mam a Dad o'u hystafell wely, Mam yn ei gŵn nos lliw lemon a Dad yn ei byjamas streipiog.

"Dwi wedi cael digon arno fe'n barod!" ebychodd Osian, a doedd dim ots ganddo os clywai Ned chwaith.

O'r diwedd, ymddangosodd Ned â golwg braidd yn euog ar ei wyneb. Roedd ei fochau'n goch, fel pe bai wedi bod yn yr awyr agored.

"Wps. Anghofies i bopeth am yr wy 'na," meddai Ned â hanner gwên. "Peidiwch â becso, fe gymera i Weetabix i frecwast."

"Grrrrrrrrrrrrrrrrrrrrrrrrrrrrrrr!" rhuodd Osian fel llew yn ei wylltineb. Gallai deimlo'r gwynnwy erbyn hyn yn ymledu rhwng bysedd ei draed. Edrychodd Mam a Dad ar ei gilydd mewn syndod. Doedd Osian erioed wedi dangos unrhyw arwydd o dymer o'r blaen.

"Oes 'na rywbeth y byddet ti, Ned, yn hoffi'i ddweud wrth Osian?" holodd Mam.

Edrychodd Ned arni mewn penbleth, fel petai hi'n hollol wirion.

"Am yr wy?" holodd eto, gan geisio procio'i gof.

"A'r trampolîn!" ychwanegodd Osian. Roedd tawelwch llethol yn yr ystafell.

"Hoffet ti ddweud bod yn flin 'da ti?" awgrymodd Dad.

Gwenodd Ned.

"Sorri, sorri, iâr yn gori," meddai.

Edrychodd Osian arno'n fileinig drwy gil ei lygaid. Doedd Ned ddim hyd yn oed yn gallu ymddiheuro'n iawn. Roedd Dad wedi drysu a Mam yn cael trafferth i beidio â chwerthin. Doedd hi ddim wedi clywed yr hen ddywediad hwnnw ers pan oedd hi'n ferch fach!

6
Rhannu desg

"Nawr 'te, Blwyddyn Pump," esboniodd Miss Hughes. "Eich tasg chi am y prynhawn yw llunio taflen wybodaeth am yr anifail ry'ch chi wedi dewis ei astudio'r tymor hwn. Os y'ch chi eisiau gweld enghraifft o daflen wybodaeth ardderchog sy'n daclus ac yn gywir ac yn llawn ffeithiau diddorol, edrychwch ar enghraifft o waith Osian Euros ar y wal ..."

Teimlodd Osian ei hun yn codi i eistedd yn dalach yn ei sedd wrth gael ei ganmol. Roedd Miss Hughes mor hoff ohono, a doedd dim gormod o ots ganddo fod y plant eraill yn y dosbarth i gyd yn meddwl ei fod yn hen grafwr diflas. Pwy oedd angen ffrindiau pan oedd gennych chi lyfrau, beth bynnag?

Estynnodd Miss Hughes eu llyfrau ysgrifennu i'r plant. Roedd Osian bron â gorffen ei lyfr, ac roedd hwnnw, fel y gofod, yn llawn sêr. Roedd llyfr Ned yn newydd sbon a'r clawr yn lân. Dechreuodd feddwl tybed a fyddai e byth yn cyrraedd diwedd y llyfr neu a fyddai ei fam wedi gwella cyn hynny.

Doedd dim cas pensiliau gan Ned, felly rhoddodd Osian fenthyg beiro iddo, gan wneud yn siŵr nad oedd yn cael un o'i rai gorau rhag ofn iddo'i thorri. Dechreuodd Osian ysgrifennu'r teitl 'Crwbanod campus' ar dop ei dudalen, ond syllu drwy'r ffenest yn gwylio dynion y Cyngor yn gwneud twll yn yr hewl yr oedd Ned. Byddai wrth ei fodd yn cael tro ar y peiriant mawr swnllyd roedden nhw'n ei ddefnyddio ac yn gwneud i bopeth ddirgrynu. Byddai'n llawer mwy o hwyl na beiro, unrhyw ddydd.

Roedd Osian ar ei drydydd paragraff cyn i Miss Hughes sylweddoli nad oedd Ned hyd yn oed wedi agor ei lyfr.

"Beth wyt ti wedi bod yn ei wneud am y deg munud diwetha, Ned?" holodd Miss Hughes.

"Meddwl, Miss. Mae'n bwysig meddwl cyn dechrau unrhyw dasg, on'd yw hi?"

"Ody, ond mae angen i bob un ohonoch chi gwpla eich taflen heddi. Fydd dim amser i freuddwydio pan fydd yr arolygwyr 'ma. Nawr, pa anifail wyt ti wedi'i ddewis?"

"Tarw, Miss. Ma' 'da ni darw mawr gartre. Sianco yw ei enw fe."

"Gwych, ysgrifenna am Sianco 'te."

"Alla i dynnu llun ohono fe?"

"Tasg ysgrifennu yw hon. Fe gei di dynnu llun brynhawn Iau – dyna pryd mae ein sesiwn 'Celf yn y Cwtsh' wythnosol ni. Gofyn i dy gefnder am help i sillafu. Ma' sillafu Osian wastad heb ei ail!"

Wrth edrych ar y dudalen wag a'r llinellau mân yn agos, agos at ei gilydd, dechreuodd Ned deimlo pwl o hiraeth am Miss Helena o'i hen ysgol. Byddai hi'n eistedd wrth ei ymyl ym mhob gwers ac yn ei helpu i feddwl am frawddegau. Gobeithio'i bod hi wedi cael clywed ei fod e'n iawn.

Doedd Ned erioed wedi gweld cymaint o blant yn yr un lle. Dim ond hanner cant o blant oedd yn ei hen ysgol i gyd. Roedd hi'n teimlo fel pe bai hanner cant yn y dosbarth hwn yn unig. Gallai eu cyfri, fel y cyfrai'r defaid ar y fferm gyda'i dad, ond doedd ganddo ddim amynedd. Gwisgai pawb ond fe wisg ysgol ac roedd e ben ac ysgwydd yn dalach nag unrhyw un o'r plant eraill. Roedd Osian ac yntau wedi cael eu

symud i gefn y dosbarth, fel nad oedd Ned yn rhwystro neb rhag gweld y bwrdd du.

Roedd Osian yn ysgrifennu fel cath i gythraul a'i dafod mas mor bell fel ei bod hi bron â chyrraedd y ddalen. Roedd gormod o frys arno i helpu neb. Rhoddodd Ned bwniad i'w benelin gan achosi i'w feiro lithro a chreu sgribl fawr ar draws y dudalen.

"Lwcus mai dim ond drafft cynta yw hwn," rhybuddiodd Osian.

"Beth y'n ni i fod i'w wneud?" holodd Ned.

"Mae angen i ti sgwennu dy fanylion ar glawr y llyfr cyn dechrau," cynghorodd Osian. Dechreuodd esbonio beth oedd ei angen, cyn i Ned ei berswadio i wneud hyn drosto, gan fod ei ysgrifen yn daclusach.

Erbyn diwedd y prynhawn roedd Osian wedi sylweddoli nad oedd Ned yn gallu darllen nac ysgrifennu'n dda iawn o gwbl. Ond er bod ganddo ychydig bach o drueni drosto, doedd hi ddim yn deg ei fod e'n treulio'i holl amser yn ei helpu. Roedd ganddo'i waith ei hunan a'i sêr aur i'w casglu. Pan oedd hi'n dod i ysgrifennu, Osian oedd y tarw a Ned oedd y crwban, heb os nac oni bai.

7
Llyfrau llyfrgell

Roedd mam Osian wrthi'n crafu tatws wrth y sinc. O'r ffordd y bu Ned yn syllu arni ers pum munud dda, gallai weld ei fod ar fin cynnig ei ddoethineb iddi. Roedd wythnos yn ei gwmni wedi bod yn ddigon iddi sylweddoli fod Ned yn barod iawn ei gyngor am fachgen o'i oed.

"'Sdim unrhyw reswm pam na allai rhywun fel chi fod yn tyfu tatws yn yr ardd. Ma' digonedd o le 'da chi. Gallech chi arbed ffortiwn tasech chi ddim yn gorfod prynu cwdyn o datws bob wythnos."

Gwenodd Mam yn gwrtais. Roedd bagiaid o datws yn para mis cyn i Ned gyrraedd, ond ddywedodd hi ddim byd chwaith.

Yn y stydi, roedd tad Osian yn sychu deigryn o'i lygad wrth ddarllen cerdd yr oedd ei fab wedi ei hysgrifennu am y modd y mae llygredd yn gallu lladd crwbanod mewn rhai mannau o'r byd. Doedd Osian ddim yn siŵr ai thema drist y gerdd neu falchder yng ngwaith ei fab oedd wedi achosi i'w dad grio, ond roedd yn ddigon bodlon, y naill ffordd neu'r llall.

"Ardderchog, Osian. Da iawn ti, wir. Bydd y gerdd yn ychwanegu tipyn o ddyfnder i'r project," meddai Dad. "Nawr dy fod ti bron â chwpla, falle gallet ti roi help llaw i Ned."

Gwgodd Osian. Doedd Ned ddim hyd yn oed wedi dechrau ei broject ac roedd y gwaith i fod i gael ei gyflwyno mewn pythefnos. Doedd hi ond yn deg i Miss

Hughes gael digon o amser i ddarllen gwaith pawb cyn y dôi'r arolygwyr.

"Ned, dere 'ma! Ma' rhywbeth 'da fi i'w ddangos i ti!" galwodd Dad.

Llusgodd Ned ei draed i gyfeiriad y stydi.

"Ma' Mam a fi wedi bod yn chwilio am lyfrau i dy helpu di gyda'r project. Ro'n i'n meddwl falle y byddet ti'n hoffi edrych arnyn nhw cyn swper ..."

Estynnodd Dad bentwr o lyfrau o'i fag, pob un yn fawr ac yn denau ac yn lliwgar, ag ychydig o ysgrifen a digonedd o luniau. Teimlodd Ned ddagrau'n pigo yn ei lygaid. Llyfrau plant bach oedd y rhain a doedd neb erioed wedi gwneud iddo deimlo mor dwp. Doedd dim unrhyw ffordd y gallai adael i Osian na'i dad ei weld yn crio, felly safodd yn yr unfan yn ystyried beth i'w wneud nesaf.

"Be' sy'n bod?" holodd Dad. Edrych ar y llawr wnaeth Osian. Roedd e wedi deall yn iawn beth oedd y broblem.

Yr eiliad nesaf, cipiodd Ned broject gwych ei gefnder oddi ar y ddesg, a heb feddwl ddwywaith fe'i gwthiodd i'r peiriant rhwygo papur. Llarpiodd hwnnw'r gwaith caboledig yn awchus, ac Osian a'i dad yn gwylio'n gegagored.

Rhedodd Ned o'r stydi, cau'r drws yn glep a stompio i'w ystafell lle bu'n crio'n dawel am hanner awr dda. Roedd Osian yn crio hefyd, ond roedd tipyn mwy o sŵn ganddo fe wrth alaru am ei broject annwyl ym mreichiau ei rieni.

8
Dilyn y dihiryn

Methodd Osian gysgu'r noson honno. Roedd ei waed yn berwi ar ôl i'w gefnder ddinistrio'i holl waith caled yn y peiriant rhwygo papur. Byddai wedi hoffi rhoi pelten iawn iddo, ond byddai hynny wedi bod yn anodd ac yntau hanner ei faint. Doedd yr un o'r ddau fachgen wedi torri gair drwy'r nos. Tra bod Osian yn breuddwydio am ddial, roedd Ned yn rhochian ac yn rhechu fel arfer, ond erbyn hyn, roedd y bolgi bach wedi mynd ar ei daith nosweithiol i'r gegin.

Clywodd Osian synau yn dod o'r

gegin, oedd o dan eu hystafell nhw, cyn clywed y drws cefn yn agor. Cododd at y ffenest a gweld golau fflachlamp yn yr ardd. Beth yn y byd oedd Ned yn ei wneud yn yr ardd yng nghanol y nos? Efallai ei fod wedi penderfynu dianc mewn pwl o euogrwydd. Roedd yn rhaid iddo ei atal! Fyddai Ned ddim yn para dwy funud yn y ddinas fawr ddrwg. Roedd Osian wedi ei weld yn croesi'r hewl a doedd e byth yn cofio bod angen edrych y ddwy ffordd. Craffodd eto ar y cysgod yn yr ardd. Os oedd e'n bwriadu dianc, doedd e ddim wedi paratoi'n dda iawn achos doedd ganddo fe ddim bag na dim. Y cwbl oedd ganddo oedd pecyn o greision ŷd!

Dilynodd olau'r fflachlamp ar hyd llwybr yr ardd, ond yn hytrach nag anelu am y drws i'r lôn fach y tu hwnt i'r ardd, aeth y golau tuag at y sied, cyn diflannu'n llwyr wrth i Ned fynd i mewn iddi. Allai Osian ddim dychmygu beth oedd yn denu Ned i'r sied. Roedd hi'n llaith ac yn ddrewllyd a doedd dim byd difyr yno, dim ond ambell bot paent rhydlyd, rhaw, ysgol, hen feic oedd wedi gweld dyddiau gwell a llond lle o gorynnod, fwy na thebyg. Doedd Osian erioed wedi mentro o'r tŷ ar ei ben ei hun wedi iddi dywyllu ond aeth ei awydd i ddatrys y dirgelwch yn drech nag e, a dechreuodd gripian i lawr y grisiau yn ddistaw bach.

Roedd Ned wedi mynd â'r fflachlamp fawr o'r cwpwrdd yn y cyntedd, felly dim ond yr un fach oedd ar ôl i Osian. Gwisgodd ei got law dros ei byjamas yn drafferthus yn y gwyll ac estyn ei welis Eisteddfota i arbed ei draed rhag gwlychu yn y gwlith. Datglôdd y drws cefn yn ofalus yng ngolau egwan y fflachlamp a'i galon yn curo fel gordd. Dim ond gardd fach oedd ganddyn nhw ond roedd y llwybr at y sied yn teimlo fel milltiroedd ar filltiroedd yn y tywyllwch dudew. Roedd hi'n hollol dawel heblaw am hwtian gwdihŵ yn y pellter, a thynnodd Osian ei got yn dynnach amdano wrth deimlo'r awel yn oer o'i chymharu â'r tŷ clyd.

Yr eiliad nesaf, baglodd Osian a glanio'n bendramwnwgl yn y gwlybaniaeth yn swnllyd a phoenus. Beth yn y byd? Ych a fi! Roedd ei law dde yn llysnafedd i gyd! Cododd ar ei bedwar ac anelu golau'r fflachlamp at ei law. Arni roedd hanner gwlithen fawr dew yr oedd wedi plannu cledr ei law ynddi yn ystod y gwymp. Roedd e bron â chyfogi. Edrychodd y tu ôl iddo. Roedd bwced mop ei rieni wedi ei adael yn flêr yng nghanol y lawnt. Doedd hynny ddim yn ormod o syndod gan fod Ned yn tueddu i adael pethau yn y llefydd rhyfeddaf, ac roedd clirio ar ei ôl yn waith llawn amser.

Edrychodd o'i flaen ac yno roedd y dyn ei hun, Ned, wedi dod allan o'r sied i weld beth oedd achos y cythrwfl. Gwisgai ei got fawr, roedd ei wallt yn fwy o das wair nag arfer hyd yn oed ac roedd ganddo rywbeth yn ei freichiau. Edrychodd y ddau ar ei gilydd mewn penbleth tan i sŵn annisgwyl dorri ar y tawelwch.

"Clwc, clwc."

O dipyn i beth, sylweddolodd Osian fod Ned yn magu iâr.

"O ble yn y byd gest ti honna?" holodd Osian.

"KFC! Ble ti'n feddwl?" atebodd Ned.

"Dwyt ti erioed wedi bod yn cwato iâr yn y sied 'na ers dros wythnos?"

"Doedd dim unrhyw ffordd y byddwn i wedi gallu gadael Rhonwen ar y fferm," atebodd Ned.

"Fe adawest ti'r gwartheg a'r defaid a'r moch," meddai Osian.

"Ma' Rhonwen yn wahanol … a dim ond hi oedd yn ffitio yn y bag."

"Wy Rhonwen ffrwydrodd yn fy sliper i!" sylweddolodd Osian.

"Wps a deis, on'd yfe, Rhonwen,"

meddai Ned mewn llais rhyfedd. "Paid ti â becso, cariad bach, ma'r pethe 'ma'n digwydd."

Plannodd Ned gusan dyner ar

gorun pluog Rhonwen gan achosi i Osian syllu ar ei gefnder yn gegrwth. Roedd y bachgen haerllug, gwyllt, oedd yn mwynhau malu popeth o fewn ei gyrraedd wedi ei ddofi.

"Edrych, Osian, ma' 'da ti dedi bêr, a ma' 'da fi Rhonwen. 'Sdim isie edrych arna i fel tasen i'n hollol hurt!"

"Dwi'n mynd i nôl Mam a Dad," meddai Osian.

"Plis, paid. Mae'n bwysig nad yw dy rieni di'n dod i wybod neu byddan nhw'n siŵr o fynd â hi. Gei di helpu i ofalu am Rhonwen os wyt ti'n moyn. Ein cyfrinach fach ni."

Cynigiodd Ned gwtsh gyda'r iâr i Osian ond roedd breichiau hwnnw wedi eu plethu'n dynn.

"Does arna i ddim byd i ti. Dwyt ti ddim wedi bod yn ddim byd ond trwbl ers i ti gyrraedd."

"Plis?"

Roedd ei lygaid mawr yn ymbil.

"... Dim ond tan y bore?"

Cofiodd Osian ei addewid i'w rieni i fod yn neis wrth ei gefnder, cyn tuchan.

"Dwi DDIM yn hapus am hyn. Ddim yn hapus o gwbl."

Gwenodd Ned. Doedd bechgyn fel Osian byth yn hapus beth bynnag.

9
Chwynnu'r ardd

"Ned! Ned! Dihuna, wnei di?"

Roedd Osian yn ysgwyd ei gefnder cysglyd yn galed ond doedd ei ddeffro o drwmgwsg ddim yn rhwydd.

"Cwyd, Ned!"

Bore Sadwrn oedd hi, a gallai Ned yn hawdd orwedd yn ei wely tan ganol y bore. Roedd Osian ar ei draed ers dwy awr, wedi ymolchi a chael brecwast ac wedi dechrau ar ei waith cartref.

"Ned! Mae'n rhaid i ti neud rhywbeth. Ma' Mam yn mynd i weld Rhonwen!"

Dihunodd Ned yn ddigon clou pan

glywodd enw ei iâr annwyl.

"Dere, glou. Ma' hi ar ei ffordd i'r sied!"

Gan ei bod hi'n ddiwrnod braf, roedd mam Osian wedi penderfynu ei bod hi'n hen bryd iddi chwynnu'r ardd. Roedd hi wedi newid i'w dillad bob dydd yn barod ac ar ei ffordd i'r sied i nôl ei menig garddio.

Rhuthrodd Ned i lawr y grisiau ddwy ris ar y tro a chyrraedd yr ardd fel roedd mam Osian yn gwisgo'i menig ac yn penlinio o flaen y llwyn rhosod. Roedd drws y sied ar agor led y pen, ond doedd hi ddim yn edrych yn debyg bod Mam wedi gweld Rhonwen.

"Bore da, Ned. Do'n i ddim yn disgwyl dy weld ti am rai oriau."

"Ym … wel … ie … dwi wedi penderfynu bod yn rhaid i bethau newid … ma'n hen bryd i fi ddechrau tynnu fy mhwysau."

Penliniodd Ned wrth ochr ei fodryb,

oedd wrthi'n casglu'r deiliach blêr i'w rhoi mewn bag ailgylchu.

"Dyw hi ddim yn iawn mai chi sy'n gorfod chwynnu ar ôl wythnos galed yn y gwaith. Ewch chi i roi'ch traed lan. Fe ofala i am yr ardd."

"Ma' lot o waith 'ma," meddai Mam. "Ma' angen tacluso'r border blodau i gyd a thaclo'r iorwg ar bwys y sied."

"Dim problem o gwbl – dwi wedi hen arfer."

"Chwarae teg i ti, ond mae'n ormod o waith i un. Fe gei di fy helpu i. Dwi'n siŵr bod 'na bâr arall o fenig yn y sied yn rhywle. Af i i chwilio amdanyn nhw nawr …"

"Na! Wir, fe fydda i'n iawn," torrodd Ned ar ei thraws. "Ewch chi i'r tŷ. Pam na gymerwch chi fath hir, neis?"

"Wel, os wyt ti'n mynnu. Grêt. Diolch. Falle bydde hi'n syniad i fi neud rota fel ein bod ni'n rhannu'r dyletswyddau rhwng y pedwar ohonon ni. Smwddio dillad, golchi'r car, mynd â'r biniau mas, glanhau'r toiled … pethau fel'na."

"Syniad ardderchog. Ewch chi nawr," cytunodd Ned.

Gwenodd mam Osian. Gwenodd Ned, ond yr eiliad y trodd hi ei chefn rhuthrodd Ned i'r sied.

"Ble wyt ti, fy iâr annwyl?" sibrydodd mewn panig, ond doedd dim golwg o Rhonwen yn unman.

"Gyda phwy wyt ti'n siarad?"

O diar. Roedd mam Osian yn ôl ac yn sefyll y tu ôl i'w ysgwydd.

"Dim ond siarad â fi fy hunan … ro'n i'n gweud … ble wyt ti, fy MHÂR o fenig … A-ha, ar y gair, dyma nhw!"

"Ardderchog, achos ma' 'da fi newyddion da. Dwi wedi perswadio Osian i dy helpu di. Fe neith les iddo fe ddod dros ei ffobia mwydod."

Y tu ôl iddi, safai Osian a'i wyneb fel ffidil, a doedd e ddim hyd yn oed wedi clywed am y rota gwaith tŷ newydd eto! Sbonciodd Mam yn ôl i'r tŷ mewn hwyliau campus.

"Paid â dweud ei bod hi ar goll," meddai Osian. "Ro'n i'n gwbod mai fel hyn fydde hi!"

Doedd Osian ddim yn becso taten am Rhonwen ac roedd e'n credu bod Ned yn haeddu popeth fyddai'n ei gael ar ôl iddo racso'i gampwaith mor fyrbwyll y noson cynt.

"Wyt ti'n mynd i fy helpu i i chwilio amdani?" atebodd Ned. Roedd e eisoes wedi sefydlu nad oedd hi yn y sied, felly doedd pethau ddim yn edrych yn dda. Yr eiliad nesaf, roedd Mam yn ôl.

"Dwi wedi penderfynu ei bod hi'n drueni mynd i'r bath ar ddiwrnod mor braf. Ma'n llawn cystal gen i roi fy nhraed lan y tu fas, gwrando ar gerddoriaeth glasurol a'ch gwylio chi, fechgyn, yn gweithio. Ma' 'da fi groesair i'w gwpla hefyd, a falle y gwna i ddechrau creu rota gwaith tŷ."

Gorweddodd Mam ar y gwely haul yn yr ardd, cau ei llygaid, rhoi clustffonau yn ei chlustiau a gollwng ochenaid ddofn o ryddhad. Roedd y pentwr o gylchgronau wrth ei hochr yn awgrymu y byddai yno am yn hir. Doedd dim dianc rhag y gwaith chwynnu, felly torchodd y bechgyn eu llewys a bwrw iddi.

Yr eiliad nesaf, fe glywson nhw sŵn clwcian yn dod o gyfeiriad Mam. Roedd Rhonwen, fel Mam, yn rhyw hanner cysgu, a hynny o dan y gwely haul a'i phen yn ei phlu. Diolch byth bod Mam yn gwisgo clustffonau! Bu bron i Ned redeg ati a'i mwytho (Rhonwen, nid Mam). Doedd gan Mam ddim syniad bod aderyn yn gorffwyso ychydig gentimetrau o'i phigyrnau noeth. Felly, doedd dim dewis gan y bechgyn ond dal ati i chwynnu, fel pe na bai dim yn bod, a gobeithio i'r mawredd na fyddai'r un o'r ddwy yn symud.

"Fyddi di ddim mor lwcus y tro nesa," rhybuddiodd Osian yn sbeitlyd. "Bydd hi wedi mynd o dan fws, neu bydd 'na gadno wedi'i llarpio hi, neu bydd hi jest yn diflannu a fydd dim syniad 'da ti ble ma' hi. Be' wnei di wedyn? Rhoi posteri ar bolion lamp yn dweud 'Iâr ar goll'?"

"Edrych, bydd Mam yn well cyn hir, a bydda i a Rhonwen wedi mynd yn ôl gartre o dy ffordd di, ocê?"

Doedd Osian ddim yn siŵr a fyddai mam Ned yn gwella mor gyflym â hynny, a dim ond mater o amser oedd hi cyn y byddai'r iâr yn cael ei darganfod. Yn y cyfamser, gwyddai y byddai'r gyfrinach yn pwyso'n drwm ar ei ysgwyddau eiddil.

10
Naw mas o ddeg

"Penderfynu … pennill … pennod … penawdau … ennill … arbennig," cyhoeddodd Miss Hughes â chryn foddhad.

Roedd hi'n fore Gwener ac yn amser am brawf sillafu wythnosol Blwyddyn Pump. Dyblu'r 'n' oedd thema'r wythnos hon. Byddai Miss Hughes yn rhoi prawf sillafu bob dydd pe bai'r cwricwlwm yn caniatáu hynny, a fyddai hi byth yn rhoi gwersi ymarfer corff. Gwnâi hyn hi'n eithaf amhoblogaidd gyda'r rhan fwyaf o blant, ond roedd Osian yn ei haddoli.

Doedd Osian ddim yn gallu cofio a oedd dwy 'n' yn 'arbennig', felly roedd ei record gwych o farciau llawn ym mhob prawf y tymor hwnnw hyd yma yn y fantol. Bai Ned oedd y cwbl. Doedd dim posib adolygu ac yntau fel corwynt yn y tŷ bedair awr ar hugain y dydd! Yr unig bryd y byddai'r lle'n dawel oedd pan fyddai wedi sleifio i weld Rhonwen. Byddai Mam a Dad mor hapus i gael pum munud o heddwch fel na wnaethon nhw erioed gwestiynu ble roedd Ned na beth yn y byd oedd yn ei gadw mor ddiddig.

Roedd rhieni Osian wedi archebu gwely parhaol i Ned yn lle'r gwely gwersylla gwichlyd, a neithiwr, tra oedd Osian yn ceisio adolygu ar gyfer y prawf, roedd Ned yn adeiladu'r gwely dan chwibanu ac yn bod yn niwsans cyffredinol. Roedd Mam a Dad wrth eu bodd na fu'n rhaid iddyn nhw wneud dim o'r gwaith, ac fe gafodd Ned dipyn o ganmoliaeth am fod mor dda gyda'i ddwylo am blentyn deg oed. Fyddan nhw ddim mor hapus pan welan nhw fod Ned wedi bod yn esgeuluso'i waith ysgol, meddyliodd Osian.

Ar ben hyn, doedd Osian ddim yn gallu canolbwyntio ar y prawf gan fod ei gefnder ar goll. Wel, doedd e ddim ar goll yn swyddogol, ond doedd e ddim wedi dychwelyd i'r dosbarth ar ôl amser chwarae. Osian oedd yr unig un i sylwi hyd yn hyn ond cadwodd yn dawel achos doedd e ddim eisiau dim drama i darfu ar y prawf. Cuddio yn y toiled tan ddiwedd y prawf oedd e, o nabod Ned.

"Dwy funud i edrych dros eich gwaith 'te, blant, cyn i fi gasglu'ch papurau," rhybuddiodd Miss Hughes.

'Arbenig' neu 'arbennig', pendronodd Osian gan syllu drwy'r ffenest. Roedd e i fod i wybod hyn. Faint o weithiau roedd e wedi gweld y gair mewn beiro goch ar ei waith? Ym mhen pella'r cae chwarae, gallai weld Mr Jenkins, y gofalwr oedrannus, ar ei dractor yn torri'r glaswellt yn barod at y mabolgampau. Dyn tal, pwyllog oedd Mr Jenkins, a bu'n gweithio yn yr ysgol mor hir fel bod rhieni rhai o'r disgyblion yn ei gofio yno pan oedden nhw'n blant.

Edrychodd Osian eilwaith. Roedd tipyn o frys ar Mr Jenkins heddiw, mae'n rhaid, achos roedd y Massey Ferguson coch yn mynd yn eithaf cyflym. Roedd e hefyd yn edrych yn fyrrach na'r arfer y tu ôl i'r llyw. Yna, cofiodd Osian iddo glywed sôn bod Mr Jenkins yn sâl ac nad oedd wedi bod yn ei waith ers rhai dyddiau.

"Osian, alla i gael dy bapur di plis, cyw?" holodd Miss Hughes mewn llais meddalach nag y byddai'n ei ddefnyddio wrth gyfarch gweddill y dosbarth.

Trodd Osian yn ôl at ei waith, rhoi llinell drwy un 'n' yr oedd wedi ei chynnwys yn y gair 'arbennig', a chyflwyno'i bapur i Miss Hughes. Twt-twtiodd honno'n syth cyn troi ei llygaid at yr olygfa drwy'r ffenest, oedd yn amlwg wedi tynnu sylw ei hoff ddisgybl. Roedd hi'n dal heb sylwi ar absenoldeb Ned.

"Beth sydd mor ddiddorol am y tractor 'na mwya sydyn, Osian?"

"Dim byd, Miss," atebodd Osian, ar yr union eiliad y dechreuodd yr olygfa fynd yn wirioneddol ddiddorol. Rhuthrodd gweddill y dosbarth at y ffenest i weld Mrs Lloyd, y Pennaeth, yn rhedeg nerth ei sodlau ar draws y cae gan wneud ei gorau glas i beidio â rhwygo'i sgert syth, dynn. Roedd ei sgarff amryliw yn chwifio yn y gwynt a'i llais i'w glywed o bell.

"Ned Morgan! Diffodda'r injan 'na, yr EILIAD HON!" gwaeddodd, yn gandryll o'i chof.

Chwarae teg i Ned, stopiodd y tractor ar unwaith ac aros am y bregeth. Roedd y dosbarth cyfan mewn sioc a rhyfeddod wrth glywed ymadroddion fel

"PERYGLU DIOGELWCH CYMUNED YR YSGOL", "ANWYBYDDU RHEOLAU SYLFAENOL" a "NID AR Y FFERM WYT TI NAWR" yn diasbedain dros yr awel gynnes. Chlywon nhw mo Ned yn

ceisio esbonio'n rhesymegol nad oedd pwrpas iddo fe gymryd y prawf sillafu gan nad oedd e erioed wedi cael mwy na dau allan o ddeg. Byddai 'cymuned yr ysgol' yn elwa mwy pe bai e'n torri'r borfa – 'roedd hi'n drueni gweld y cae chwarae ers i Mr Jenkins fynd yn sâl'.

Roedd y rhan fwyaf o'r dosbarth yn chwerthin, yn enwedig gan fod Ned wedi gwisgo cap fflat a chot hir Mr Jenkins, oedd fel sach amdano, ond roedd dagrau'n pigo yng nghorneli llygaid Osian. Doedd e erioed wedi cael stŵr gan athro neu athrawes, heb sôn am y Pennaeth, ac allai e ddim dychmygu dim byd gwaeth. Doedd Ned yn difaru dim. Wel, roedd yn difaru symud i'r pumed gêr. Efallai na fyddai neb wedi sylwi arno pe bai wedi aros yn y pedwerydd.

11
Profiadau newydd

Doedd bod yn gaeth i'r tŷ ddim yn gosb mor ddrwg â hynny, meddyliodd Ned, er na fyddai byth yn cyfaddef hynny chwaith. Ers y digwyddiad gyda'r tractor roedd wedi ei wahardd rhag gadael y tŷ ar ôl ysgol a dros y penwythnos. Ar ben hyn, bu'n rhaid iddo aros yn y dosbarth bob amser chwarae ac amser cinio.

Eisteddai yn y stydi yn gweithio ar ei broject, achos doedd waeth iddo wneud rhywbeth defnyddiol gyda'r holl amser oedd ganddo. Roedd e wedi cael benthyg *iPad* Osian ac roedd pentwr o lyfrau llyfrgell ganddo hefyd. Penderfynodd y gwnâi ei broject ysgol ar ieir gan y byddai gweithio ar hwnnw'n lleddfu rhywfaint o'i hiraeth am Rhonwen, ac roedd yn rhaid dweud ei fod yn cael tipyn o hwyl arni.

Doedd Osian, ar y llaw arall, ddim yn cael cystal hwyl ar ofalu am Rhonwen. Fe oedd yn llwyr gyfrifol amdani nawr fod Ned yn gaeth i'r tŷ. Roedd yn rhaid iddo'i bwydo a chasglu ei hwyau, ond y dasg waethaf oedd carthu ei baw afiach, oedd yn gymysgedd o frown a gwyn fel wy Pasg bach wedi chwalu. Gwisgai fenig rwber cyn mynd ar gyfyl y sied.

Roedd wedi llwyddo i beidio â chyffwrdd yn Rhonwen ei hun hyd yn hyn, diolch byth, achos roedd meddwl am y plu drewllyd, yr adenydd fflaplyd a'r crafangau pigog yn ddigon i wneud iddo deimlo'n fyr ei anadl ac yn chwyslyd gan ofn. Bob tro y byddai'n mynd i'r sied, byddai Rhonwen yn syllu'n oeraidd arno, heb ddangos unrhyw werthfawrogiad o

gwbl o'r ffaith mai fe oedd yn ei chadw'n fyw. Doedd e ddim yn treulio eiliad yn fwy nag oedd raid iddo yn ei chwmni.

Y diwrnod hwnnw, roedd wedi bod ar gymaint o frys i adael y sied fel ei fod wedi anghofio cau'r drws, ac erbyn hyn doedd dim golwg o Rhonwen yn unman. Doedd fiw iddo gyfaddef wrth Ned. Byddai hi'n siŵr o ddod i'r golwg … Wel, dyna oedd Osian yn gobeithio wrth archwilio pob twll a chornel o'r ardd.

Yn y stydi, roedd Ned yn ysgrifennu stori am ddiwrnod ym mywyd Rhonwen ar gyfer ei broject. Nid diwrnod o'i hanes yn y sied ond diwrnod lle roedd hi'n ôl ar y fferm gyda'i ffrindiau, Begw a Dilys a Meri, yr ieir y bu'n rhaid iddi eu gadael ar ôl. Roedd Ned ei hun yn gymeriad yn y stori hefyd – yn arwr, wrth gwrs. Fe oedd y bachgen penfelyn oedd yn bwydo, yn casglu wyau ac yn carthu bob bore cyn mynd i'r ysgol. Roedd yn fodlon ei fyd, heb orfod sleifio na chelu dim fel y gwnâi yng nghartref ei gefnder. Fe hefyd oedd yn trechu'r gelyn – y cadno coch – bob tro gan ei fod mor gryf a dewr. Diolch i Ned, câi'r ieir i gyd ryddid i grwydro'r clos yn fodlon eu byd ac roedd digon i'w weld a'i glywed yno, hyd yn oed i iâr fusneslyd fel Rhonwen.

Am y tro cyntaf, dechreuodd Ned boeni ei fod wedi gwneud peth creulon a hunanol yn ei rhoi hi yn ei fag a dod â hi gydag e'n gwmni. Câi bob gofal yn y byd ac roedd hi'n hollol saff yn y ddinas, ond doedd hi ddim yn perthyn yno. Ond erbyn meddwl, doedd e ddim yn perthyn yn y ddinas chwaith.

Tarfwyd ar ei feddyliau dwys pan ddaeth tad Osian i'r stydi â'i wynt yn ei ddwrn. Doedd hi ddim yn syndod ei fod yn fyr ei wynt oherwydd roedd e newydd fod yn loncian am y tro cyntaf ers misoedd.

"Ma' 'na iâr yn Spar!" cyhoeddodd yn syn.

"Ro'n i'n loncian heibio i faes parcio Spar, a dyna lle roedd hi'n pigo, a'i phig mewn pecyn creision. Iâr go iawn, fel wyt ti'n gweld ar y teledu! Dim gwylan, ond iâr! Dwi wedi bod yn y ddinas 'ma ers ugain mlynedd ac ro'n i'n meddwl 'mod i wedi gweld y cwbl! Ti'n meddwl ei bod hi angen help?"

"Wel wir! Dyna beth rhyfedd! Falle y bydd Osian yn gwybod ..." atebodd Ned.

"Osian? Does dim diddordeb gan Osian mewn anifeiliaid ac mae e'n casáu ieir! Ro'n i'n meddwl mai ti oedd yr arbenigwr, yn enwedig ers dechrau'r project 'ma," atebodd Dad. Ond galwodd Ned ar ei gefnder yr un fath.

"Fe ga' i olwg ar y we i weld beth yw'r peth gorau i'w wneud, ond alla i ddim yn deg â chofio cyfrinair *iPad* Osian," esboniodd Ned.

"Siawns dy fod ti'n gwbod beth i'w wneud ag iâr heb edrych ar y we ..." dechreuodd Dad ddadlau.

Daeth Osian i'r ystafell â golwg digon pryderus ar ei wyneb.

"Dwyt ti byth yn mynd i gredu hyn, ond ma' dy dad newydd weld iâr!" meddai Ned gan syllu ar Osian. "Iâr ddof, frown, bert, ym maes parcio Spar."

Doedd e ddim wedi dweud wrth Ned mai iâr frown oedd hi, meddyliodd Dad, ond roedd y rhan fwyaf o ieir yn frown, a bod yn deg.

"Pwy yn y byd fydde'n ddigon dwl i golli iâr?" holodd Ned.

"Pwy yn y byd fydde'n ddigon dwl i gadw iâr yng nghanol dinas? Ar fferm mae lle iâr!" atebodd Osian.

"Ma' maes parcio yn lle peryglus i iâr, weden i," pwysleisiodd Ned. "Bydden i'n ddigon hapus i fynd i'w hachub hi, ond alla i ddim, gan 'mod i wedi fy ngwahardd rhag gadael y tŷ."

"Dwi'n siŵr y gallet ti adael y tŷ unwaith, achos ma' achub iâr yn amgylchiad eithaf eithriadol," rhesymodd Dad.

"Well i ni gael golwg ar y we yn gynta, i weld beth yw'r peth calla i'w wneud," dadleuodd Ned.

Mewnbynnodd Osian ei gyfrinair

i'r *iPad*, cyn diflannu'n go sydyn. Dechreuodd Ned a thad Osian chwilio am atebion ar y we. Fe deipion nhw 'sut mae dal iâr' a 'beth i'w wneud ag iâr mewn dinas' i'r peiriant chwilio a chael golwg ar wefan yr RSPCA a'r Cyngor.

"Ry'n ni wedi bod wrthi ers sbel nawr. Fydde hi ddim yn well i ni fynd i weld ble ma' hi erbyn hyn?" holodd Dad.

"'Sdim hast. Yn ara deg ma' dal iâr!" meddai Ned.

Ddeng munud yn ddiweddarach, cytunodd y ddau i fynd i weld beth oedd hanes yr iâr. Aethon nhw â bag o geirch gyda nhw yn y gobaith o'i dal. Ond doedd dim golwg ohoni yn unman yn y maes parcio na'r strydoedd cyfagos. Roedd y pecyn creision ar lawr o hyd, wedi hanner ei fwyta. Doedd Ned ddim yn sylweddoli bod Rhonwen yn hoffi creision. Roedd e'n falch mai rhai caws a winwns oedden nhw, nid rhai blas cyw iâr.

Pan ddychwelon nhw i'r tŷ, sylwodd Ned yn syth fod Osian wedi newid o'i grys T i siwmper lewys hir. Roedd ei freichiau druan yn grafiadau byw, ond oedd, roedd e wedi llwyddo i achub Rhonwen a dod â hi'n ôl i'r sied yn saff heb i'w dad fod dim callach.

Roedd Osian yn grac – yn wirioneddol grac y tro hwn – ond roedd rhan fach, leia'n y byd ohono yn teimlo'i fod, am unwaith, yn arwr.

12
Cynllun cyfrwys

"Os gwna i lewygu, dy fai di fydd e," rhybuddiodd Osian wrth gerdded i fyny'r rhiw serth at y tŷ mewn siwmper gynnes ar ddiwrnod poetha'r haf. Roedd e'n dal i orfod gwisgo llewys hir er mwyn cuddio'r crafiadau ar ei freichiau. Bu'n annioddefol o boeth a chwyslyd yn yr ysgol drwy'r dydd tra oedd pawb arall yn chwarae'n hapus yn eu crysau polo. Ar ben hyn, roedd yn cario gitâr mewn casyn trwm adre o'r ysgol heddiw. Roedd yn difaru'n ofnadwy nad oedd yn chwarae offeryn ysgafnach, mwy twt, fel ffliwt.

"Bydd raid i fi ddweud wrth Mam am y crafiadau 'ma ar fy mreichiau. Maen nhw'n gwneud dolur. Falle fod angen gweld doctor arna i," dadleuodd Osian.

"Gad dy gonan, wir. Dylen ni fod

yn dathlu heno. Dwi'n ddyn rhydd o'r diwedd, a fydd dim raid i ti edrych ar ôl Rhonwen rhagor," atebodd ei gefnder.

"Edrych, Ned, bydd yn rhaid i Rhonwen fynd. Dyw hi'n amlwg ddim yn hapus yn y sied neu fydde hi ddim wedi dianc," meddai Osian.

"Y rheswm pam wnaeth hi ddianc oedd am dy fod ti wedi gadael y drws ar agor, y bat! Am fachgen clyfar, rwyt ti'n gallu bod yn anghredadwy o dwp weithiau!"

Cerddodd y ddau i fyny'r rhiw mewn tawelwch. Er mor hapus oedd Ned fod ei gosb wedi dod i ben a'i fod yn rhydd, allai e ddim peidio â meddwl am Rhonwen yn sownd yn y sied dywyll ar ei phen ei hun drwy'r haf, heb gwmni. Pan roddodd hi yn ei fag, doedd e ddim wedi dychmygu y byddai e oddi cartref mor hir. Allai e ddim ei chadw hi yno lawer hirach. Fyddai hynny ddim yn deg. Byddai'n rhaid iddo ddod o hyd i rywle arall iddi fyw, ac os oedd hynny'n golygu ffarwelio â hi, dyna fyddai'n rhaid ei wneud.

"Dwi wedi ca'l syniad," meddai Ned yn gynllwyngar. Dechreuodd Osian bryderu yn syth.

"Os wyt ti mor bendant bod yn rhaid i Rhonwen fynd, dwi'n gwybod beth allwn ni wneud â hi."

Edrychodd Osian arno'n amheus. Os oedd yr ateb mor syml â hynny, byddai e wedi meddwl amdano ei hunan, siawns.

"Ma' angen mynd â hi i'r parc anifeiliaid pan fyddwn ni'n mynd ar y trip ysgol, a'i gadael hi'n rhydd yn slei bach yn y toiledau. Fe ddaw rhywun o hyd iddi'n ddigon clou ac fe fydd y staff yno'n siŵr o roi'r gofal gorau iddi. Edryches i ar eu gwefan nhw ac maen nhw'n cadw ieir!"

"Dwyt ti ddim yn gall!" ebychodd Osian.

"Y trip wythnos nesa yw'n cyfle ni," cyhoeddodd Ned.

"Ond ma'r arolygwyr yn yr ysgol wythnos nesa," meddai Osian yn bryderus.

"Gwell byth. Bydd yr athrawon i gyd yn rhy brysur yn ffysian amdanyn nhw i sylwi ar yr iâr yn dy fag di."

"Yn fy mag i?" holodd Osian yn gegrwth. Roedd e wedi clywed y cyfan nawr!

"Bydd yn rhaid i ti fynd â hi. Dwi ddim yn ca'l dod ar y trip ar ôl y busnes 'na 'da'r tractor," atebodd yn ddi-hid.

"Dwi wedi ca'l digon ar hyn – mae'n un peth ar ôl y llall 'da ti! Ti wedi torri fy nhrampolîn i, sarnu fy ngharpet a fy slipers i, rhwygo fy mhroject i a ma' 'mreichiau i'n edrych fel hufen iâ *raspberry ripple* o dy achos di. Dwyt ti ddim yn meddwl cyn gwneud pethau, a phan maen nhw'n mynd o chwith, 'sdim ots 'da ti! Mae'n hen bryd i ti dyfu lan a sylweddoli nad yw bywyd yn fêl i gyd."

Roedd Ned yn gwybod yn iawn nad

oedd bywyd yn fêl i gyd. Roedd ei fam yn yr ysbyty yn sâl, ond wnaeth e ddim sôn am hynny. Doedd e ddim eisiau i neb deimlo trueni drosto.

"Dere, gad i fi gario dy gitâr di lan y rhiw," cynigiodd Ned. Allai'r Osian pinc a chwyslyd ddim gwrthod. Cariodd Ned yr offeryn heb ddim trafferth yn y byd. Roedd ganddo wythnos i seboni ei gefnder er mwyn iddo newid ei feddwl cyn diwrnod y trip. Dechreuodd bendroni tybed a fyddai lle i iâr mewn casyn gitâr …

13
Taro bargen

Roedd yn fore mawr i blant Blwyddyn Pump. Eu tro nhw oedd hi i roi cyflwyniad am waith y tymor yn y gwasanaeth boreol, a hynny o flaen yr arolygwyr. Roedd yn rhaid i bob plentyn yn y flwyddyn gymryd rhan, hyd yn oed Ned.

Doedd dim byd ganddyn nhw i boeni amdano, dim ond iddyn nhw wneud eu gorau glas, yn ôl Miss Hughes. Ond hi oedd yr un oedd wedi bod yn pregethu ers dechrau'r flwyddyn pa mor bwysig oedd ymweliad yr arolygwyr. Pan welodd hi Osian yn dod i'r ysgol yn welw fel y galchen a'i ewinedd wedi eu cnoi i'r bôn, roedd hi'n poeni ei bod hi wedi rhoi gormod o bwysau ar ei dosbarth. Doedd hi ddim i wybod bod ganddo iâr yn ei fag.

"Nawr, peidiwch ag edrych mor bryderus, Flwyddyn Pump. Bydd yr arolygwyr yn mynd i bwyllgora yn syth ar ôl y gwasanaeth, felly fe gewch chi fynd i fwynhau ar y trip, a hynny'n haeddiannol iawn."

Cerddodd Miss Hughes i gefn y dosbarth a phlygu i'w chwrcwd wrth ddesg Osian a Ned. Teimlodd Osian Rhonwen yn aflonyddu yn y bag rhwng ei bigyrnau. Yn sydyn, tarfwyd ar y dosbarth gan sŵn Miss Hughes yn tisian yn uchel. Rhaid ei bod hi'n gallu arogli'r iâr, meddyliodd Osian. Daeth sŵn tisian yr eilwaith a chwythodd Miss Hughes ei thrwyn yn ei hances.

"Esgusodwch fi!" meddai Miss

Hughes. "'Sa i'n gwbod o ble ddaeth yr hen disian 'ma!"

"Clefyd y gwair, siŵr o fod, Miss. Dim byd i fecso amdano," cynghorodd Ned yn awdurdodol. Rholiodd Miss ei llygaid, wedi hen arfer â'i natur hy.

"Ned, plis paid â difetha hyn i fi heddi. Mae'r arolygwyr wedi bod mor hapus gyda 'ngwaith i drwy'r wythnos, felly mae'n rhaid i ni orffen ag uchafbwynt, deall?"

"Hmmmm, dwi'n deall eich bod *chi* yn moyn creu argraff, Miss, ond be' sydd yn hyn i *fi*?" dechreuodd Ned fargeinio. Roedd haerllugrwydd Ned yn hollol anghredadwy, meddyliodd Miss Hughes. Roedd hi wedi dod ar draws sawl plentyn heriol yn ei dydd, ond neb fel Ned.

"Mae hyn yn bwysig, Ned. Rhaid i'r ysgol gadw'i henw da," meddai.

"Enw da, bla, bla, bla!" meddai Ned.

"Ned!" rhybuddiodd Miss, er nad oedd e'n gwrando dim.

"Os gwna i fihafio yn y gwasanaeth bore 'ma a rhoi cyflwyniad penigamp, ga i ddod ar y trip?"

Ystyriodd Miss Hughes. Roedd ymddygiad Ned wedi gwella ers y digwyddiad gyda'r tractor, chwarae teg, ond gwyddai'n iawn faint o fwnci bach roedd e'n gallu bod hefyd, a fyddai e ddim yn meddwl ddwywaith cyn difetha ei gyrfa yn y gwasanaeth y bore hwnnw. Doedd hi ddim wir eisiau mynd â Ned ar y trip chwaith, ond câi boeni am hynny yn y man. Byddai'n teimlo'n ddigon cartrefol yno ynghanol y mwncïod, meddyliodd.

"Ma' gweddill y dosbarth yn bihafio heb orfod llwgrwobrwyo neb, ond iawn, gei di ddod ar y trip. Ond dwi'n disgwyl dim llai na pherffeithrwydd ar y llwyfan 'na, ti'n deall?"

Estynnodd Ned ei law i daro bargen â Miss Hughes, fel y gwelodd ei dad yn gwneud wrth brynu buwch yn y

mart. Ysgydwodd Miss Hughes ei law'n gyndyn. Gwenodd Ned fel pe na byddai menyn yn toddi yn ei geg.

Gwenodd Osian hefyd. Gydag ychydig bach o lwc, fyddai dim rhaid iddo fe ryddhau Rhonwen yn y parc anifeiliaid wedi'r cwbl. Gallai drosglwyddo Rhonwen i fag Ned gefn llwyfan, a rhyngddo fe a'i gawl fyddai hi wedyn. Edrychai ymlaen at gael gwared ohoni unwaith ac am byth.

14
Creu argraff

Roedd hi'n bleser gweld plant yr ysgol yn y gwasanaeth y bore hwnnw. Gwisgai pawb y wisg ysgol briodol (dim esgidiau ymarfer, dim rhubanau gwallt lliwgar, dim siwmperi wedi'u clymu am y canol), ac roedd botwm top pob crys polo wedi ei gau. Eisteddai pawb yn dawel fel llygod, yn disgwyl i'r Pennaeth ddod o'i swyddfa gyda'r arolygwyr pwysig, pwysig.

Pawb heblaw am Miss Hughes. Roedd hi wrth y piano newydd sbon yn chwarae'r un emyn drosodd a throsodd nes bod ei bysedd yn brifo. Edrychai wedi blino hefyd, ac roedd hynny oherwydd iddi fod ar ei thraed tan yn hwyr yn smwddio'i blows bedair gwaith. Cadwai lygad barcud ar Ned. Rhoddodd ef i eistedd ar ben y rhes ar y llwyfan, mor agos â phosib at y piano fel na châi hanner cyfle i gamfihafio. Osian oedd agosaf ato ac roedd e bob amser yn ddylanwad da.

Am naw o'r gloch ar ei ben, cerddodd Mrs Lloyd yn awdurdodol drwy'r neuadd gyda dau arolygwr i'w chanlyn. Roedd ganddyn nhw glipfwrdd, bag dogfennau lledr a gwên hollwybodus yr un. Sythodd Osian. Allai Ned ddim deall beth oedd yr holl ffws. Pam roedden nhw'n eu trin nhw fel brenhinoedd? Roedd yr ysgol wedi mynd yn lle llawer llai hapus ers iddyn nhw gyrraedd. Doedd y peth ddim yn gwneud synnwyr.

Dechreuodd Mrs Lloyd y gwasanaeth yn ei ffordd arferol drwy gyfarch yr ysgol â rhyw sylw nawddoglyd am y tywydd.

Beth oedd hi'n ei wybod am y tywydd, meddyliodd Ned? Hi a'i chot bob tywydd, ddrudfawr, na welodd unrhyw amodau mwy cyffrous na noson rieni, a'i cherbyd gyriant pedair olwyn, sgleiniog, na welodd fwy na hanner modfedd o eira erioed, heb sôn am fwd!

Daeth yn amser iddi gyflwyno'r dosbarth, a'r cyntaf at y microffon oedd Osian. Pwy arall? Adroddodd ei gerdd hir am grwbanod yn uchel a chlir. Nodiodd yr arolygwyr er mwyn dangos eu bod nhw wedi gwerthfawrogi neges ddwys y gerdd a'u bod yn synnu at ei haeddfedrwydd. Gwenodd Miss Hughes yn falch. Roedd Osian wedi magu tipyn o hyder yn ystod yr wythnosau diwethaf.

Aeth gweddill y dosbarth yn eu blaen â'u cyflwyniadau am gathod, cŵn, cwningod, nadroedd, eliffantod – pob anifail dan haul. Edrychodd Miss Hughes ar ei horiawr. Gallai weld fod y bysiau i'w cludo ar y trip wedi cyrraedd. Efallai na fyddai amser am gyflwyniad Ned wedi'r cwbl!

Yr olaf i gael ei alw ymlaen oedd Ned. Roedd rhai o blant y Dosbarth Derbyn wedi dechrau aflonyddu erbyn hyn, ond roedd safiad cadarn a llais cryf Ned yn ddigon i ddal eu sylw. Carthodd ei wddf a dechrau darllen.

"Diwrnod ym mywyd Rhonwen yr iâr."

Gallech fod wedi clywed pin yn cwympo ar lawr y neuadd.

"Dihunais heddiw eto yn meddwl am Cai. Ceiliog yw Cai, rhag ofan nad y'ch chi'n ei nabod e," aeth Ned yn ei flaen.

Edrychodd y Pennaeth ar Miss Hughes yn amheus.

"Ond go brin. Ma' pawb ar y fferm, yn y pentref ac yn y sir yn nabod Cai, ac yn meddwl ei fod e'n real … niwsans. Dyna ble ro'n i'n clwydo'n gyfforddus am bump y bore gyda Begw, Dilys a Meri pan glywais y sŵn mae pawb yn ei gasáu …"

"DING DONG, DING DONG, DING DONG."

Neidiodd Mrs Lloyd mewn braw. Roedd hi wedi gofyn ganwaith i Mr Jenkins, y gofalwr, dawelu rhywfaint ar gloch yr ysgol. Roedd yn ddigon i ddeffro'r meirw!

Nid Mrs Lloyd oedd yr unig un gafodd ei dychryn gan y gloch fyddarol. Yr eiliad nesaf, hedfanodd iâr o gyfeiriad y piano newydd sbon gan fflapian yn wyllt yng nghanol plant y Dosbarth Derbyn, oedd yn eistedd ar y llawr. Sgrialodd y rheini o'r ffordd dan sgrechian, gan wneud Rhonwen druan yn fwy gwyllt byth, a thasgodd ei phlu i bob cyfeiriad. Dechreuodd un o'r arolygwyr disian yn afreolus a gafaelodd un o'r plant lleiaf yng nghoes yr arolygydd arall, wedi dychryn am ei fywyd, ac yn gwrthod gollwng y goes. Roedd Mrs Lloyd wedi dringo ar ben y gadair eisteddfodol ar y llwyfan. Roedd ganddi ffobia o ieir ers

Sioe Llanelwedd 1989, pan ddigwyddodd rhywbeth nad oedd hi'n gallu ei drafod gyda neb ond ei therapydd.

Agorodd Miss Hughes glawr y piano i weld a oedd rhywbeth arall yno, ond welodd hi ddim byd ond tomen o faw iâr wedi ei daenu rhwng y tannau.

"A dyma hi … Rhonwen!" cyhoeddodd Ned, ychydig yn ansicr am y tro cyntaf yn ei fywyd.

Neidiodd i lawr o'r llwyfan i geisio'i dal, ond doedd dim gobaith caneri ganddo gan fod Rhonwen wedi cyffroi i'r fath raddau. Doedd y gweiddi a'r sgrechian a'r panig cyffredinol o'i chwmpas yn helpu dim.

Fel yr arch-ddaliwr ieir, penderfynodd Osian ymuno yn y gyflafan. Rhwng y ddau ohonyn nhw, llwyddon nhw i'w chwrso i lawr drwy ganol y neuadd lle roedd llwybr wedi agor fel hwnnw drwy'r Môr Coch gynt, ac i mewn â hi i ystafell y Pennaeth. Byddai'n llawer haws ei dal hi yno.

Caeodd Osian y drws ar ei ôl a dringodd Ned ar ben desg Mrs Lloyd i gau'r ffenestri, gan adael ôl troed mwdlyd ar gopi glanwaith o reolau'r ysgol.

Mwyaf sydyn, roedd y diwrnod ym mywyd Rhonwen yr ysgrifennodd Ned amdano i'w weld yn eithaf diflas. Byddai ysgrifennu ei hanes hi heddiw wedi creu darn o waith creadigol llawer mwy cyffrous!

15
Pryd o dafod

"Wel, fechgyn, ry'ch chi wedi dod i'r lle iawn o leiaf," meddai Mrs Lloyd yn sarcastig wrth gamu i'w swyddfa. Edrychai'n hynod o binc ac roedd ei gwallt enfawr syth-o'r-salon wedi disgyn yn fflop. Fyddai hi ddim wedi dod i'r ystafell o gwbl, oni bai fod Mr Jenkins, y gofalwr, wedi ei darbwyllo bod yr iâr yn saff ac wedi ei chloi yn ei thŷ bach personol hi oedd fel *en suite* o'i swyddfa. Lledodd ei ffroenau. Roedd hi'n siŵr ei bod hi'n gallu ei harogli hi. Cododd bluen frown oddi ar y carped moethus.

Ma' dy rieni di ar y ffordd, Osian. Dwi wedi gofyn iddyn nhw ddod â chawell gyda nhw."

Eisteddai Osian a'i ben i lawr mewn cywilydd, ond roedd rhyw hanner gwên ar wyneb Ned. Roedd Mrs Lloyd wastad yn mynnu creu drama fawr o bopeth. Pa angen cawell oedd yna? Roedd Rhonwen yn ffitio'n iawn yn ei fag chwaraeon! Ceisiodd ddifrifoli. O'i brofiad helaeth e, roedd gwenu pan oeddech chi'n cael pryd o dafod yn tueddu i wneud pethau'n llawer gwaeth.

"Alla i ddim DECHRAU esbonio sut dwi'n teimlo ar hyn o bryd. Dwi'n GRAC, yn SIOMEDIG ac yn DRIST. Yn DRIST eich bod chi wedi gallu PARDDUO ENW DA …"

… *bla bla bla*, meddyliodd Ned, gan obeithio nad oedd y gweiddi yn aflonyddu dim mwy ar Rhonwen. Tybed beth oedd hi'n ei wneud nawr? Efallai ei bod hi'n bwyta'r fisgeden ffansi roddodd e iddi o ddrôr Mrs Lloyd. Gobeithio, achos roedden nhw'n neis iawn, a byddai'n drueni eu gwastraffu. Ceisiodd gofio a oedd e wedi cofio cau caead sêt y tŷ bach. Doedd e ddim eisiau i Rhonwen dorri ei syched ar ddŵr toiled!

"... Gobeithio dy fod ti'n talu sylw, Ned, achos mae hyn yn DDIFRIFOL DROS BEN!" torrodd Mrs Lloyd ar draws ei feddyliau.

"Mrs Lloyd, ma' un peth ddylech chi gael gwybod." Roedd llais Osian fel llygoden wrth iddo snwffian yn ei ddagrau. "Fy mai i yw hyn i gyd. Dyw e ddim byd i'w wneud â Ned."

Ceisiodd Ned guddio'i syndod ond roedd wyneb Mrs Lloyd yn syndod i gyd.

"Anifail anwes Ned yw'r iâr," esboniodd Osian. "Ma' Ned yn meddwl y byd ohoni ond dwi'n ei chasáu hi ers y dechrau. Dwi'n siŵr y gallwch chi gydymdeimlo â hynny. Fy syniad i oedd dod â hi i'r ysgol. Ro'n i'n bwriadu ei gadael hi'n rhydd yn y parc anifeiliaid y pnawn 'ma. Unrhyw beth i gael gwared ohoni! Mae'n rhaid ei bod hi wedi dianc o fy mag i gefn llwyfan a mynd i gwato yn y piano. Ma'n ddrwg 'da fi, Mrs Lloyd, ac ma'n ddrwg 'da fi, Ned."

Roedd Mrs Lloyd yn craffu dros ei sbectol yn amheus.

"Dwi jyst yn falch nad oes neb wedi cael niwed," atebodd Ned yn gyfrifol i gyd. "Shwt ma'r fenyw Estyn 'na erbyn hyn?" holodd. Cafodd gip arni'n chwydu i mewn i'w bag dogfennau lledr tra oedd e'n cwrso Rhonwen, a dyna'r olaf a welodd ohoni.

"Wedi mynd, diolch byth. Ro'dd popeth yn mynd mor dda, Osian. Alla i ddim credu mai ti, o bawb, sydd wedi difetha'r cwbl. Bydd yn rhaid i ni feddwl yn galed iawn sut i dy gosbi di. Oni bai dy fod ti'n fachgen mor dda fel arfer, byddwn i'n dy ddiarddel di'n syth."

Byddai hi wedi diarddel Ned

heb feddwl ddwywaith, a dyna pam gymerodd Osian y bai.

“Mae e wedi colli’r trip yn barod. Siawns bod hynny’n ddigon o gosb …” awgrymodd Ned wrth wylio bysiau’r trip yn gadael tir yr ysgol drwy’r ffenest.

“Pan fydda i angen dy gyngor DI ar ddisgyblu, Ned, bydda i’n siŵr o ofyn!” poerodd Mrs Lloyd.

“Dwi’n hollol ddieuog fan hyn. Diolch i fi ddylech chi’i wneud. Oni bai amdana i, bydde’r iâr yn dal i fflapian ar hyd y lle nawr, yn pigo coesau plant bach ac yn gwneud baw ar eu dillad nhw.”

Daeth cnoc ar y drws, a dyna lle roedd rhieni Osian â golwg siomedig iawn ar eu hwynebau. Roedd Dad yn cario basged wiail fawr a oedd yn llawer rhy grand i gario unrhyw anifail, ym marn Ned.

“Oes digon o bicnic i bawb ’da chi fanna?” mentrodd Ned i geisio ysgafnu rhywfaint ar yr awyrgylch, ond doedd neb yn yr hwyliau am jôcs.

"Alla i ddim credu bod iâr wedi bod yn byw yn ein sied ni ers deufis, a ninnau'n gwybod dim. Wir i chi, Mrs Lloyd, doedd dim syniad 'da ni," meddai Mam.

"Alla i ddim credu ein bod ni'n cwrdd

eto," meddai Mrs Lloyd. "Meddiannu tractor, rhyddhau dofednod! Be' nesa? Dyw'ch plant chi'n ddim byd ond trwbl yn ddiweddar!"

Teimlodd Ned ryw bwl o gynhesrwydd y tu mewn iddo. Roedd cael ei ystyried yn un o blant rhieni Osian yn deimlad braf.

"Dyw Ned ddim yn blentyn drwg – un drygionus yw e," ceisiodd Dad resymu.

"Falle y byddwch chi'n synnu, ond Osian sydd ar fai y tro hwn. Mae e wedi cyfaddef," meddai Mrs Lloyd.

Edrychodd Mam a Dad ar ei gilydd yn amheus.

"Yr unig reswm wnes i ddim diarddel Ned am y busnes 'na 'da'r tractor oedd achos 'mod i'n meddwl falle fod rheolau'r ysgol yn anghyfarwydd iddo fe. Does dim esgus gan Osian."

Cliriodd Mam ei llwnc.

"Falle fod werth i ni sôn … ry'n ni wedi cael chydig o newyddion … am dy fam di,

Ned. Siarades i gyda hi bore 'ma ac ma' hi'n teimlo'n ddigon cryf i dy gael di'n ôl."

Disgynnodd tawelwch dros yr ystafell am rai eiliadau tan i Mrs Lloyd dorri ar y lletchwithdod.

"Wel, Ned. Ma' hi wedi bod yn … ddiddorol dy gael di 'ma."

"Pryd ydw i'n gorfod mynd?" holodd Ned.

"Wel, ry'n ni wedi cymryd gweddill y diwrnod bant o'r gwaith. Ti'n hapus i fynd pnawn 'ma?" holodd Dad er mwyn arbed Mam rhag gorfod siarad. Roedd e'n gwybod y byddai ei llais yn grynedig.

"Dim ond os y'ch chi'n hapus i roi lifft i Rhonwen hefyd," atebodd Ned â gwên, ond gwên drist oedd hi. Edrychai'r oedolion wedi drysu.

"Yr iâr," meddai Osian.

Twt-twtiodd Mrs Lloyd yn ddiamynedd ond roedd Mam a Dad yn gwenu. Bydden nhw'n gweld eisiau Ned.

16
Dychwelyd

Roedd Ned yn gwybod i beidio â disgwyl parti i'w groesawu'n ôl i'r fferm. Byddai ei fam yn wan er ei bod hi'n well a byddai ei dad yn brysur gyda'r silwair. Roedd e'n edrych ymlaen yn fawr at yr adeg y byddai e hefyd yn ddigon hen i gael helpu gyda'r cynhaeaf, ac roedd e'n falch ei fod yn ôl mewn pryd i weld yr holl gyffro.

Gyrrodd tad Osian yn ofalus, ofalus i fyny'r ffordd at y clos, gan nad oedd eu car nhw wedi arfer â ffyrdd anwastad.

"Peidiwch â bod ofan. Fe symudan nhw o'ch ffordd chi," meddai Ned wrth i drwyn y car anelu'n betrus i gyfeiriad Begw a Dilys a Meri. Roedd Rhonwen yn clwcian yn y fasged ar y sedd gefn, rhwng y bechgyn.

"Dyw'r lle 'ma'n newid dim," meddai Mam yn hiraethus. Roedd hi'n anodd i'r ddau fachgen yn y cefn ei dychmygu hi yn groten fach ar y fferm. Doedd hi ddim hyd yn oed yn berchen ar bâr o welis erbyn hyn, a byddai hi'n gyrru i'w gwaith dim ond iddi weld diferyn o law.

Roedd yr haul yn gwenu a sylwodd Dad fod angen torri'r lawnt o flaen y tŷ. Rhoddodd Ned hergwd i'r drws gwichlyd a dilynodd y tri arall e i'r tŷ.

Yn y parlwr roedd mam Ned yn gwylio'r teledu. Gwisgai gardigan gynnes er ei bod hi'n ddiwrnod poeth ac roedd honno'n llawer rhy fawr iddi. Roedd Ned wedi clywed ei fam yn dweud ganwaith yr hoffai golli pwysau, ond go brin y byddai hi erioed wedi dymuno bod mor denau â hyn. Mae'n debyg nad oedd hi wedi gallu bwyta llawer ers iddi gael triniaeth i dynnu ei phendics. Rhoddodd gwtsh hir iddi. Roedd hi'n teimlo'n ddieithr ond yn arogli fel coed tân a sgons fel erioed.

"Sorri am yr annibendod," meddai mam Ned. "Dwi ddim yn teimlo'n ddigon cryf i lanhau'r tŷ eto."

Cliriodd Ned le iddyn nhw eistedd ar y soffa ac agor y llenni. Aeth mam Osian ati'n syth i lenwi'r sinc â dŵr cynnes i olchi'r llestri.

Aeth Ned â'i fag i'w ystafell gan ailgyfarwyddo â rhythm y grisiau pren. Roedd ei ystafell yn union fel y gadawodd hi pan baciodd ar frys y diwrnod hwnnw – fel twlc mochyn. Ond ei annibendod e oedd e o leiaf, a gallai wneud fel y mynnai yn fan hyn heb i neb gwyno. Falle nad oedd ei ddillad yn y drôrs a'i sbwriel yn y bin, ond roedd e'n gwybod yn iawn ble roedd popeth serch hynny.

Erbyn iddo ddod i lawr y grisiau roedd tad Osian wedi symud bag ysbyty

Anti Catrin i'r ystafell arall ac roedd Osian hyd yn oed wedi gwneud ei hunan yn ddefnyddiol drwy sychu bwrdd y gegin.

"Fydde'n well i ni ryddhau Rhonwen?" sibrydodd Osian wrth Ned.

"Pam wyt ti'n sibrwd? 'Sdim ots os daw Mam i wybod am Rhonwen. Ma' hi'n cŵl," meddai Ned.

"Mae fy mam i'n cŵl hefyd …" dechreuodd Osian. Edrychodd Ned arno'n amheus.

Yr eiliad nesaf, daeth sgrech o'r gegin wrth i fam Osian sylwi bod cath yn gorwedd ar ben y microdon a'i bod wedi bod yn ei gwylio'n golchi'r llestri ers pum munud dda. Chwarddodd y bechgyn ac anelu am y car.

"Lwcus bod 'da ni *air con*, neu bydde hi wedi rhostio!" meddai Osian wrth i Ned godi'r fasged a mwytho'r iâr.

Craffodd Osian arni am y tro olaf a'i hanwesu â blaen ei fys.

"Ta-ta, Rhonwen. Ma' hi wedi bod yn sbort. Bydda i'n gweld dy eisiau di," meddai'n dawel.

Dywedodd y pethau hyn wrth Rhonwen gan y gwyddai na allai eu dweud wrth Ned.

Cusanodd Ned ei chrib cyn ei chodi o'r fasged a'i gollwng ar y clos i fynd at ei ffrindiau. Doedd hi ddim yn edrych yn orfoleddus, ond roedd hi'n edrych yn gartrefol yn syth yng nghwmni Begw a Dilys a Meri.

"Be' wnei di ar ôl i ni fynd?" holodd Osian.

"Af i am wâc fach i weld shwt maen nhw wedi dod i ben hebdda i, a bydd isie i fi garthu sied yr ieir."

"Ych a fi! Dyna ddiflas."

"Fe fydda i wrth fy modd!" atebodd Ned heb air o gelwydd, a'i lygaid yn disgleirio.

Pan ddaeth hi'n amser ffarwelio, addawodd Ned wrth Osian y câi ddod i aros gyda nhw rywbryd a chytunodd Osian i ddod yn frwdfrydig, er bod y ddau'n gwybod na fyddai hynny byth yn digwydd. Doedd gan yr un o'r ddau syniad yn y byd pryd y bydden nhw'n gweld ei gilydd eto.

Synhwyrodd rhieni Osian ei fod braidd yn ddistaw ar y ffordd yn ôl i'r ddinas yn y car. Roedd yr wythnosau diwethaf wedi bod yn dipyn o brofiad iddo.

"Beth am i ni fynd â ti am drip? Gallen ni'n tri fynd i'r parc anifeiliaid rywbryd yn ystod gwyliau'r haf. Byddet ti'n hoffi gweld y crwbanod, dwi'n siŵr," meddai Mam.

Gwnaeth Osian ryw sŵn cadarnhaol. Byddai wrth ei fodd yn mynd yno, ond nid i weld y crwbanod. Byddai'n well ganddo weld y llewod neu'r mwncïod neu'r eirth.

Wrth adael y car ar ôl cyrraedd y ddinas, teimlodd Osian ryw wlybaniaeth annifyr o dan ei ben-ôl. Cododd i edrych. Roedd rhywbeth llysnafeddog wedi ffrwydro dros ei drowsus byr ac ar hyd y sedd i gyd. Ochneidiodd. Beth arall … ond wy?